USBORNE

FIRST THOUSAND WORDS

IN CHINESE

Heather Amery

Illustrated by Stephen Cartwright

Revised edition by Mairi Mackinnon
Picture editing by Mike Olley
Chinese language consultant: Chloe Wong

There is a little yellow duck to look for on every
double page with pictures. Can you find it?

Stephen Cartwright's little yellow duck made his first-ever appearance in *The First Thousand Words* over thirty years ago. Duck has since featured in over 125 titles, in more than 70 languages, and has delighted millions of readers, both young and old, around the world.

This revised edition first published in 2014 by Usborne Publishing Ltd, 83-85 Saffron Hill, London EC1N 8RT. www.usborne.com
Based on a previous title first published in 1979. Copyright © 2014, 1995, 1979 Usborne Publishing Ltd.

The name Usborne and the devices ♀ 🌐 are Trade Marks of Usborne Publishing Ltd. All rights reserved.
No part of this publication may be reproduced, stored in a retrieval system or transmitted in any form or by any means,
electronic, mechanical, photocopying, recording or otherwise, without the prior permission of the publisher. AE
First published in America in 2014.

About this book

The First Thousand Words in Chinese is an enormously popular book that has helped many thousands of children and adults learn new words and improve their Chinese language skills.

You'll find it easy to learn words by looking at the **small labeled pictures**. Then you can practice the words by talking about the large central pictures. There is a guide under each word in Chinese, showing you how to pronounce it (find out more about this below). You can also **hear the words** on the Usborne Quicklinks website: just go to **www.usborne.com/quicklinks** and enter the keywords **1000 chinese**. There you can find links to other useful websites about China and the Chinese language.

There is a **word list** at the back of the book, which you can use to look up words in the picture pages.

Remember, this is a book of a thousand words. It will take time to learn them all.

The Chinese language

China is the country with the largest population in the world, and more people speak Chinese than any other language including English. There are many different dialects, or regional versions, of Chinese. This book uses **Mandarin Chinese**, which is the official language of China. Most people in mainland China, as well as in Taiwan and Singapore, can speak Mandarin Chinese.

Reading and writing Chinese

To read Chinese, you have to learn symbols called **characters**. These sometimes look like little pictures, which is just what they were originally – for example, the character 伞 means "umbrella." Some characters or parts of characters are based on pictures, other parts represent sounds. Each character represents one syllable (part of a word), and words are often made up of two or more characters.

Chinese can be written using either traditional or simplified characters. Across mainland China, and in this book, **simplified characters** are used. On the other hand, people in Hong Kong and Taiwan, as well as many Chinese people living in other countries, generally use traditional Chinese characters.

Saying Chinese words

To help students of Chinese, there is a standard system called *pinyin* which spells out the sounds of the words. Almost all Chinese language courses and Chinese-English dictionaries, as well as this book, use *pinyin*. Most of the sounds in *pinyin* are the same as in English words, but there are some sounds in Chinese that are not like anything in English. You can find out more about how to read *pinyin* and say these sounds on page 56.

颜料
yán liào

瓶子
píng zi

金鱼
jīn yú

直昇飞机
zhí shēng fēi jī

拼图玩具
pīn tú wán jù

巧克力
qiǎo kè lì

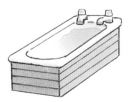

浴缸
yù gāng

肥皂
féi zào

水龙头
shuǐ lóng tóu

手纸
shǒu zhǐ

牙刷
yá shuā

水
shuǐ

马桶
mǎ tǒng

海绵
hǎi mián

面盆
miàn pén

淋浴
lín yù

毛巾
máo jīn

家 jiā

床
chuáng

浴室
yù shì

客厅
kè tīng

牙膏
yá gāo

收音机
shōu yīn jī

垫子
diàn zi

影碟
yǐng dié

地毯
dì tǎn

沙发
shā fā

4

椅子
yǐ zi

棉被
mián bèi

梳子
shū zi

床单
chuáng dān

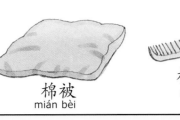
地毯
dì tǎn

衣柜
yī guì

卧室
wò shì

门厅
mén tīng

电视
diàn shì

抽屉柜
chōu tī guì

镜子
jìng zi

刷子
shuā zi

灯
dēng

图片
tú piàn

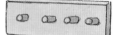
挂衣钩
guà yī gōu

电话
diàn huà

厨房 chú fáng

冰箱
bīng xiāng

玻璃杯
bō li bēi

时钟
shí zhōng

凳子
dèng zi

茶匙
chá chí

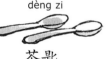
开关
kāi guān

洗衣粉
xǐ yī fěn

钥匙
yào shi

门
mén

水池
shuǐ chí

水壶
shuǐ hú

餐刀
cān dāo

拖把
tuō bǎ

抹布
mā bù

瓷砖
cí zhuān

扫帚
sào zhou

洗衣机
xǐ yī jī

簸箕
bò ji

抽屉
chōu tì

碟子
dié zi

煎锅
jiān guō

炊具
chuī jù

勺子
sháo zi

盘子
pán zi

熨斗
yùn dǒu

茶巾
chá jīn

杯子
bēi zi

火柴
huǒ chái

刷子
shuā zi

碗
wǎn

橱柜
chú guì

7

花园 huā yuán

喷壶
pēn hú

手推车
shǒu tuī chē

蜂窝
fēng wō

蜗牛
wō niú

砖块
zhuān kuài

鸽子
gē zi

铁锹
tiě qiāo

瓢虫
piáo chóng

垃圾箱
lā jī xiāng

种子
zhǒng zi

工棚
gōng péng

虫子
chóng zi

花
huā

喷水器
pēn shuǐ qì

锄头
chú tou

黄蜂
huáng fēng

8

蜜蜂
mì fēng

泥铲
ní chǎn

骨头
gǔ tóu

树篱
shù lí

耙
pá

割草机
gē cǎo jī

小路
xiǎo lù

树叶
shù yè

树
shù

烟
yān

毛毛虫
máo máo chóng

耙子
pá zi

鸟巢
niǎo cháo

棍子
gùn zi

温室
wēn shì

草
cǎo

婴儿车
yīng ér chē

蔬菜
shū cài

篝火
gōu huǒ

水管
shuǐ guǎn

9

车间
chē jiān

螺丝钉
luó sī dīng

台钳
tái qián

砂纸
shā zhǐ

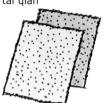
钻孔机
zuàn kǒng jī

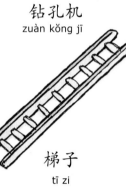
梯子
tī zi

锯
jù

锯屑
jù xiè

日历
rì lì

工具箱
gōng jù xiāng

螺丝刀
luó sī dāo

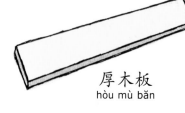
厚木板
hòu mù bǎn

刨花
bào huā

折刀
zhé dāo

10

大头钉
dà tóu dīng

蜘蛛
zhī zhū

螺丝钉
luó sī dīng

螺母
luó mǔ

蜘蛛网
zhī zhū wǎng

桶
tǒng

苍蝇
cāng yíng

斧头
fǔ tóu

卷尺
juǎn chǐ

锤子
chuí zi

锉刀
cuò dāo

油漆桶
yóu qī tǒng

刨子

木头
mù tou

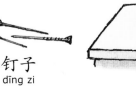
钉子
dīng zi

工作台

罐子
quàn zi

街道 jiē dào

商店
shāng diàn

洞
dòng

咖啡馆
kā fēi guǎn

救护车
jiù hù chē

人行道
rén xíng dào

雕像
diāo xiàng

烟囱
yān cōng

屋顶
wū dǐng

挖掘机
wā jué jī

旅馆

公共汽车
gōng gòng qì chē

男人

警车
jǐng chē

管子
guǎn zi

钻孔机
zuàn kǒng jī

学校
xué xiào

运动场

12

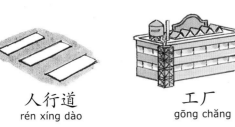

出租车
chū zū chē

人行道
rén xíng dào

工厂
gōng chǎng

卡车
kǎ chē

红绿灯
hóng lù dēng

电影院
diàn yǐng yuàn

货车
huò chē

压路机
yā lù jī

拖车
tuō chē

房子
fáng zi

市场
shì chǎng

台阶
tái jiē

摩托车
mó tuō chē

自行车
zì xíng chē

消防车

警察
jǐng chá

汽车

女人

灯柱
dēng zhù

13

玩具店
wán jù diàn

火车玩具组合
huǒ chē wán jù zǔ hé

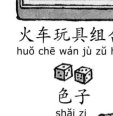
色子
shǎi zi

八孔长笛
bā kǒng cháng dí

机器人
jī qì rén

项链
xiàng liàn

照相机
zhào xiàng jī

珠子
zhū zi

洋娃娃
yáng wā wa

吉他
jí tā

戒指
jiè zhi

娃娃家

口琴
kǒu qín

口哨
kǒu shào

砖块
zhuān kuài

城堡

潜水艇

喇叭
lǎ ba

箭

弓
gōng

降落伞
jiàng luò sǎn

小船
xiǎo chuán

面部油彩
miàn bù yóu cǎi

压路机
yā lù jī

面具
miàn jù

赛车
sài chē

摇摇木马
yáo yáo mù mǎ

钱箱
qián xiāng

弹球
tán qiú

木偶
mù ǒu

钢琴
gāng qín

宇航员
yǔ háng yuán

起重机
qǐ zhòng jī

纸牌
zhǐ piá

鼓
gǔ

士兵
shì bīng

颜料
yán liào

火箭
huǒ jiàn

15

秋千
qiū qiān

沙坑
shā kēng

野餐
yě cān

风筝
fēng zheng

冰淇淋
bīng qí lín

狗
gǒu

大门
dà mén

小路
xiǎo lù

青蛙
qīng wā

滑梯
huá tī

公园 gōng yuán

长椅
cháng yǐ

蝌蚪
kē dǒu

湖
hú

旱冰鞋
hàn bīng xié

矮树丛
ǎi shù cóng

婴儿
yīng ér

滑板
huá bǎn

泥土
ní tǔ

婴儿车
yīng ér chē

跷跷板
qiāo qiāo bǎn

孩子
hái zi

三轮车
sān lún chē

鸟
niǎo

栏杆
lán gān

球
qiú

游艇
yóu tǐng

绳子
shéng zi

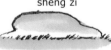
水坑
shuǐ kēng

小鸭子
xiǎo yā zi

跳绳
tiào shéng

树
shù

花圃
huā pǔ

天鹅
tiān'é

狗皮带
gǒu pí dài

鸭子
yā zi

17

动物园 dòng wù yuán

翅膀
chì bǎng

鹰
yīng

河马
hé mǎ

熊猫
xióng māo

爪子
zhuǎ zi

袋鼠
dài shǔ

蝙蝠
biān fú

大猩猩
dà xīng xing

猴子
hóu zi

冰山
bīng shān

企鹅
qǐ'é

尾巴
wěi ba

狼
láng

鳄鱼
è yú

熊
xióng

羽毛
yǔ máo

鹈鹕
tí hú

鸵鸟
tuó niǎo

海豚
hǎi tún

长颈鹿
cháng jǐng lù

狮子
shī zi

幼狮
yòu shī

鹿
lù

骆驼
luò tuo

海豹
hǎi bào

北极熊
běi jí xióng

乌龟
wū guī

象鼻
xiàng bí

大象
dà xiàng

犀牛
xī niú

野牛
yě niú

角
jiǎo

海狸
hǎi lí

山羊
shān yáng

斑马
bān mǎ

蛇
shé

鲨鱼
shā yú

鲸鱼
jīng yú

老虎
lǎo hǔ

豹
bào

19

旅行 lǚ xíng

铁轨
tiě guǐ

火车头
huǒ chē tóu

缓冲器
huǎn chōng qì

车厢
chē xiāng

火车司机
huǒ chē sī jī

货车
huò chē

月台
yuè tái

检票员
jiǎn piào yuán

手提箱
shǒu tí xiāng

售票机
shòu piào jī

火车站 huǒ chē zhàn

修车场 xiū chē chǎng

信号
xìn hào

背包
bèi bāo

前车灯
qián chē dēng

火车头
huǒ chē tóu

车轮
chē lún

电池
diàn chí

20

飞机
fēi jī

直升飞机
zhí shēng fēi jī

飞机跑道
fēi jī pǎo dào

指挥塔
zhǐ huī tǎ

飞机场　fēi jī chǎng

空中乘务员
kōng zhōng chéng wù yuán

飞行员
fēi xíng yuán

洗车场
xǐ chē chǎng

行李箱
xíng lǐ xiāng

汽油
qì yóu

救险工程车
jiù xiǎn gōng chéng chē

油罐车
yóu guàn chē

扳手
bān shou

轮胎
lún tāi

发动机盖
fā dòng jī gài

油
yóu

加油泵
jiā yóu bèng

21

乡村 xiāng cūn

风车
fēng chē

热气球
rè qì qiú

蝴蝶
hú dié

蜥蜴
xī yì

石头
shí tou

狐狸
hú li

小溪
xiǎo xī

路标
lù biāo

刺猬
cì wèi

水闸
shuǐ zhá

山
shān

松鼠
sōng shǔ

森林
sēn lín

獾
huān

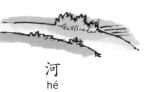
河
hé

路
lù

帐篷
zhàng peng

运河
yùn hé

木料
mù liào

村庄
cūn zhuāng

飞蛾
fēi'é

桥
qiáo

游艇
yóu tǐng

瀑布
pù bù

猫头鹰
mo tóu yīng

隧道
suì dào

小狐狸
xiǎo hú li

鼹鼠
yàn shǔ

渔夫
yú fū

岩石
yán shí

癞蛤蟆
lài há ma

火车
huǒ chē

大篷车
dà péng chē

小山
xiǎo shān

23

干草堆
gān cǎo duī

牧羊犬
mù yáng quǎn

羊羔
yáng gāo

池塘羔
chí táng

小鸡
xiǎo jī

干草仓
gān cǎo cāng

猪圈
zhū juàn

公牛
gōng niú

鸡舍
jī shè

拖拉机
tuō lā jī

农场 nóng chǎng

公鸡
gōng jī

鹅
é

油轮
yóu lún

谷仓
gǔ cāng

泥
ní

手推车
shǒu tuī chē

农民
nóng mín

田野
tián yě

母鸡
mǔ jī

小牛
xiǎo niú

栅栏
zhà lan

鞍
ān

牛棚
niú péng

母牛
mǔ niú

犁
lí

果园
guǒ yuán

畜栏
chù lán

小猪
xiǎo zhū

驴
lú

火鸡
huǒ jī

稻草人
dào cǎo rén

农舍
nóng shè

干草
gān cǎo

羊
yáng

稻草包
dào cǎo bāo

马
mǎ

猪
zhū

25

帆船
fān chuán

海边 hǎi biān

贝壳
bèi ké

大海
dà hǎi

桨
jiǎng

灯塔
dēng tǎ

铁锹
tiě qiāo

桶
tǒng

海星
hǎi xīng

沙滩城堡
shā tān chéng bǎo

雨伞
yǔ sǎn

旗
qí

水手
shuǐ shǒu

螃蟹
páng xiè

海鸥
hǎi ōu

岛
dǎo

摩托艇
mó tuō tǐng

滑水者
huá shuǐ zhě

波浪
bō làng

太阳帽
tài yáng mào

悬崖
xuán yá

船
chuán

独木舟
dú mù zhōu

绳子
shéng zi

鹅卵石
é luǎn shí

海草
hǎi cǎo

网
wǎng

划桨
huá jiǎng

渔船
yú chuán

脚蹼
jiǎo pǔ

防晒霜
fáng shài shuāng

鱼
yú

游泳衣
yóu yǒng yī

油轮
yóu lún

海滩
hǎi tān

划艇
huá tǐng

折叠椅
zhé dié yǐ

27

剪刀
jiǎn dāo

2 + 2 = 4
2 + 3 = 5

算术题
suàn shù tí

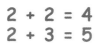

橡皮
xiàng pí

尺子
chǐ zi

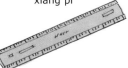

照片
zhào piān

彩笔
cǎi bǐ

黏土
nián tǔ

颜料
yán liào

男孩
nán hái

铅笔
qiān bǐ

学校 xué xiào

写字板
xiě zì bǎn

书桌
shū zhuō

28

书
shū

钢笔
gāng bǐ

胶水
jiāo shuǐ

粉笔
fěn bǐ

图画
tú huà

废纸篓
fèi zhǐ lǒu

老师
lǎo shī

盒子
hé zi

地图
dì tú

刷子
shuā zi

天花板
tiān huā bǎn

墙
qiáng

地板
dì bǎn

笔记本
bǐ jì běn

字母表
zì mǔ biǎo

徽章
huī zhāng

鱼缸
yú gāng

纸
zhǐ

百叶窗
bǎi yè chuāng

画架
huà jià

门把
mén bà

植物
zhí wù

地球仪
dì qiú yí

女孩
nǚ hái

蜡笔
là bǐ

灯
dēng

29

医院 yī yuàn

护士
hù shi

棉球
mián qiú

药
yào

电梯
diàn tī

晨衣
chén yī

拐杖
guǎi zhàng

药丸
yào wán

托盘
tuō pán

手表
shǒu biǎo

温度计
wēn dù jì

窗帘
chuāng lián

苹果
píng guǒ

石膏
shí gāo

绷带
bēng dài

轮椅
lún yǐ

轮椅
pīn tú wán jù

医生
yī shēng

注射器
zhù shè qì

30

医生 yī shēng

拖鞋
tuō xié

计算机
jì suàn jī

创可贴
chuāng kě tiē

香蕉
xiāng jiāo

葡萄
pú tao

篮子
lán zi

玩具
wán jù

梨
lí

卡片
kǎ piàn

尿布
niào bù

手杖
shǒu zhàng

枕头
zhěn tou

女睡衣
nǚ shuì yī

睡衣
shuì yī

桔子
jú zi

纸巾
zhǐ jīn

连环画
lián huán huà

候诊室
hòu zhěn shì

31

气球
qì qiú

巧克力
qiǎo kè lì

眼镜
yǎn jìng

糖果
táng guǒ

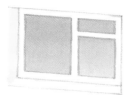

窗户
chuāng hu

烟花
yān huāi

绸带
chóu dài

蛋糕
dàn gāo

聚会 jù huì

礼物
lǐ wù

吸管
xī guǎn

蜡烛
là zhú

纸拉花
zhǐ lā huā

玩具
wán jù

桔子
jú zi

萨拉米香肠
sà lā mǐ xiāng cháng

泰迪熊
tài dí xióng

香肠
xiāng cháng

薯片
shǔ piàn

化妆舞会服装
huà zhuāng wǔ huì fú zhuāng

樱桃
yīng táo

果汁
guǒ zhī

覆盆子
fù pén zǐ

草莓
cǎo méi

灯泡
dēng pào

三文治
sān wén zhì

黄油
huáng yóu

饼干
bǐng gān

奶酪
nǎi lào

面包
miàn bāo

桌布
zhuō bù

柚子
yòu zi

胡萝卜
hú luó bo

菜花
cài huā

青蒜
qīng suàn

蘑菇
mó gu

黄瓜
huáng guā

柠檬
níng méng

芹菜
qín cài

杏
xìng

瓜
guā

商店 shāng diàn

手提袋
shǒu tí dài

洋葱
yáng cōng

卷心菜
juǎn xīn cài

生菜
táo zi

生菜
shēng cài

豌豆
wān dòu

西红柿
xī hóng shì

34

鸡蛋
jī dàn

李子
lǐ zi

面粉
miàn fěn

台秤
tái chèng

罐子
guàn zi

肉
ròu

菠萝
bō luó

酸奶
suān nǎi

篮子
lán zi

瓶子
píng zi

手提包
shǒu tí bāo

钱包
qián bāo

钱
qián

罐
guàn

土豆
tǔ dòu

菠菜
bō cài

豆
dòu

付款处
fù kuǎn chù

南瓜
nán guā

购物车
gòu wù chē

35

食物 shí wù

早餐
zǎo cān

正餐
wǔ cān

熟鸡蛋
shú jī dàn

吐司
tǔ sī

果酱
guǒ jiàng

咖啡
kā fēi

煎鸡蛋
jiān jī dàn

奶油
nǎi yóu

牛奶
niú nǎi

麦片
mài piàn

热巧克力
rè qiǎo kè lì

糖
táng

茶
chá

蜂蜜
fēng mì

盐
yán

胡椒粉
hú jiāo fěn

茶壶
chá hú

煎饼
jiān bing

面包卷
miàn bāo juǎn

36

正餐
zhèng cān

火腿
huǒ tuǐ

汤
tāng

煎蛋
jiān dàn

筷子
kuài zi

色拉
shā là

汉堡包
hàn bǎo bāo

鸡肉
jī ròu

米饭
mǐ fàn

沙司
shā sī

意大利面
yì dà lì miàn

土豆泥
tǔ dòu ní

比萨饼
bǐ sà bǐng

薯条
shǔ tiáo

甜点
tián diǎn

37

我 wǒ

头
tóu

头发
tóu fa

脸
liǎn

手臂
shǒu bì

胳膊肘
gē bo zhǒu

肚子
dù zi

脚趾
jiǎo zhǐ

脚
jiǎo

腿
tuǐ

膝盖
xī gài

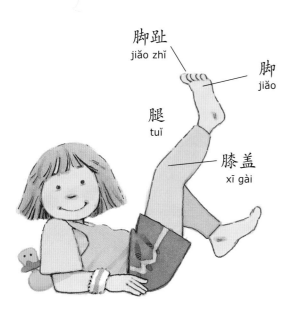

眉毛
méi mao

眼睛
yǎn jing

鼻子
bí zi

脸颊
liǎn jiá

嘴
zuǐ

嘴唇
zuǐ chún

牙齿
yá chǐ

舌头
shé tou

下巴
xià ba

耳朵
ěr duo

脖子
bó zi

肩膀
jiān bǎng

胸部
xiōng bù

后背
hòu bèi

臀部
tún bù

手
shǒu

拇指
mǔ zhǐ

手指
shǒu zhǐ

我的衣服 wǒ de yī fu

短袜
duǎn wà

短裤
duǎn kù

汗衫
hàn shān

裤子
kù zi

牛仔裤
niú zǎi kù

T恤
tī xù

裙子
qún zi

衬衣
chèn yī

领带
lǐng dài

短裤
duǎn kù

紧身裤
jǐn shēn kù

连衣裙
lián yī qún

套头衫
tào tóu shān

运动衫
yùn dòng shān

羊毛开衫
yáng máo kāi shān

围巾
wéi jīn

手绢
shǒu juàn

球鞋
qiú xié

鞋
xié

凉鞋
liáng xié

靴子
xuē zi

手套
shǒu tào

腰带
yāo dài

带扣
dài kòu

拉链
lā liàn

鞋带
xié dài

钮扣
niǔ kòu

扣眼
kòu yǎn

口袋
kǒu dài

外套
wài tào

夹克
jiá kè

棒球帽
bàng qiú mào

帽子
mào zi

人们 rén men

男演员
nán yǎn yuán

女演员
nǚ yǎn yuán

厨师
chú shī

舞蹈演员
wǔ dǎo yǎn yuán

歌手
gē shǒu

警察
jǐng chá

女警察
nǚ jǐng chá

屠夫
tú fū

木匠
mù jiàng

宇航员
yǔ háng yuán

消防队员
xiāo fáng duì yuán

艺术家
yì shù jiā

法官
fǎ guān

机械师
jī xiè shī

40

理发师
lǐ fà shī

卡车司机
kǎ chē sī jī

公共汽车司机
gōng gòng qì chē sī jī

服务员
fú wù yuán

邮差
yóu chāi

牙科医生
yá kē yī shēng

潜水员
qián shuǐ yuán

油漆工
yóu qī gōng

面包师
miàn bāo shī

家庭
jiā tíng

儿子
ér zi

女儿
nǚ ér

哥哥
gē ge

弟弟
dì di

姐姐
jiě jie

妹妹
mèi mei

妈妈
mā ma

妻子
qī zi

爸爸
bà ba

丈夫
zhàng fu

阿姨
ā yí

姑姑
gū gu

叔叔
shū shu

舅舅
jiù jiu

宠物
chǒng wù

堂弟
táng dì

表弟
biǎo dì

爷爷
yé ye

姥爷
lǎo ye

奶奶
nǎi nai

姥姥
lǎo lao

41

做事情 zuò shì qíng

笑
xiào

微笑
wēi xiào

哭
kū

想
xiǎng

听
tīng

抓
zhuā

扔
rēng

打破
dǎ pò

画
huà

写字
xiě zì

砍
kǎn

剪
jiǎn

吃
chī

谈话
tán huà

挖
wā

搬
bān

喝
hē

制作
zhì zuò

跳
tiào

爬
pá

跳舞
tiào wǔ

洗
xǐ

编织
biān zhī

42

玩
wán

打架
dǎ jià

厨师
chú shī

扫地
sǎo dì

倒下
dǎo xià

看
kàn

拿
ná

睡觉
shuì jiào

缝纫
féng rèn

躲藏
duǒ cáng

唱
chàng

挑选
tiāo xuǎn

走
zǒu

爬
pá

跳
tiào

等
děng

读
dú

买
mǎi

吹
chuī

拉
lā

推
tuī

跑
pǎo

坐
zuò

43

反义词 fǎn yì cí

好
hǎo

坏
huài

远
yuǎn

近
jìn

顶部
dǐng bù

底部
dǐ bù

冷
lěng

热
rè

湿
shī

干
gān

脏
zāng

干净
gān jìng

上面
shàng miàn

下面
xià mian

胖
pàng

瘦
shòu

开
kāi

关
guān

小
xiǎo

大
dà

很少
hěn shǎo

许多
xǔ duō

第一
dì yī

最后
zuì hòu

左
zuǒ

44

在外面
zài wài miàn

在里面
zài lǐ miàn

容易
róng yì

困难
kùn nan

空的
kōng de

满的
mǎn de

软
ruǎn

硬
yìng

前面
qián mian

后面
hòu mian

高
gāo

慢
màn

快
kuài

低
dī

长
cháng

短
duǎn

死
sǐ

活
huó

黑暗
hēi àn

明亮
míng liàng

旧
jiù

楼上
lóu shàng

右
yòu

新
xīn

楼下
lóu xià

45

日子 rì zi

星期一 xīng qī yī
星期二 xīng qī èr
星期三 xīng qī sān
星期四 xīng qī sì
星期五 xīng qī wǔ
星期六 xīng qī liù
星期日 xīng qī rì

日历 rì lì

早晨 zǎo chén

晚上 wǎn shàng

太阳 tài yáng

夜晚 yè wǎn

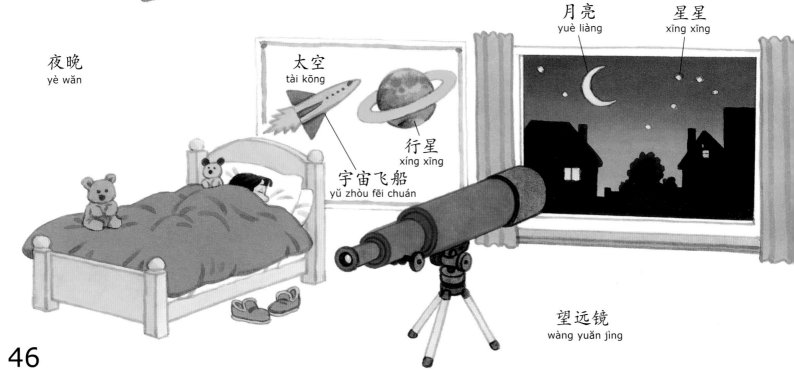

太空 tài kōng

月亮 yuè liàng

星星 xīng xīng

行星 xíng xīng

宇宙飞船 yǔ zhòu fēi chuán

望远镜 wàng yuǎn jìng

46

特别的日子

tè bié de rì zi

生日
shēng rì

礼物
lǐ wù

蜡烛
là zhú

生日贺卡
shēng rì hè kǎ

生日蛋糕
shēng rì dàn gāo

假期
jià qī

结婚日
jié hūn rì

宾客
bīn kè

伴娘
bàn niáng

新娘
xīn niáng

新郎
xīn láng

照相机
zhào xiàng jī

摄影师
shè yǐng shī

圣诞节
shèng dàn jié

圣诞老人
shèng dàn lǎo rén

雪橇
xuě qiāo

圣诞树
shèng dàn shù

驯鹿
xùn lù

天气 tiān qì

雨伞
yǔ sǎn

下雨
xià yǔ

闪电
shǎn diàn

雾
wù

下雪
xià xuě

太阳
tài yáng

云
yún

天空
tiān kōng

露水
lù shui

风
fēng

薄雾
bó wù

霜
shuāng

彩虹
cǎi hóng

季节 jì jié

春天
chūn tiān

夏天
xià tiān

秋天
qiū tiān

冬天
dōng tiān

宠物 chǒng wù

仓鼠
cāng shǔ

豚鼠
tún shǔ

鹦鹉
yīng wǔ

鸟嘴
niǎo zuǐ

兽医
shòu yī

狗窝
gǒu wō

小狗
xiǎo gǒu

狗
gǒu

食物
shí wù

虎皮鹦鹉
hǔ pí yīng wǔ

兔子
tù zi

金丝雀
jīn sī què

笼子
lóng zi

猫
māo

篮子
lán zi

老鼠
lǎo shǔ

小猫
xiǎo māo

牛奶
niú nǎi

金鱼
jīn yú

49

运动和锻炼 yùn dòng hé duàn liàn

篮球
lán qiú

划船
huá chuán

帆
fān

航行
háng xíng

帆板运动
fān bǎn yùn dòng

单板滑雪
dān bǎn huá xuě

球拍
qiú pāi

网球
wǎng qiú

美式橄榄球
měi shì gǎn lǎn qiú

体操
tǐ cāo

板球
bǎn qiú

空手道
kōng shǒu dào

球棒
qiú bàng

球
qiú

钓杆
diào gān

钓鱼
diào yú

诱饵
yòu ěr

橄榄球
gǎn lǎn qiú

跳舞
tiào wǔ

棒球
bàng qiú

跳水
tiào shuǐ

游泳池
yóu yǒng chí

赛跑
sài pǎo

游泳
yóu yǒng

箭术
jiàn shù

靶子
bǎ zi

滑翔
huá xiáng

头盔
tóu kuī

慢跑
màn pǎo

骑自行车
qí zì xíng chē

攀登
pān dēng

柔道
róu dào

马
mǎ

小型马
xiǎo xíng mǎ

存物柜
cún wù guì

足球
zú qiú

马术
mǎ shù

更衣室
gēng yī shì

羽毛球
yǔ máo qiú

溜冰鞋
liū bīng xié

乒乓球
pīng pāng qiú

滑冰
huá bīng

滑雪杖
huá xuě zhàng

吊椅
diào yǐ

滑雪板
huá xuě bǎn

滑雪
huá xuě

相扑
xiāng pū

51

颜色 yán sè

橙色
chéng sè

绿色
lǜ sè

黑色
hēi sè

灰色
huī sè

红色
hóng sè

棕色
zōng sè

粉红色
fěn hóng sè

紫色
zǐ sè

黄色
huáng sè

白色
bái sè

蓝色
lán sè

形状 xíng zhuàng

长方形
cháng fāng xíng

圆形
yuán xíng

菱形
líng xíng

圆锥形
yuán zhuī xíng

星星
xīng xīng

立方体
lì fāng tǐ

椭圆形
tuǒ yuán xíng

三角形
sān jiǎo xíng

正方形
zhèng fāng xíng

月牙形
yuè yá xíng

数字 shù zì

1	一 yī	
2	二 èr	
3	三 sān	
4	四 sì	
5	五 wǔ	
6	六 liù	
7	七 qī	
8	八 bā	
9	九 jiǔ	
10	十 shí	
11	十一 shí yī	
12	十二 shí èr	
13	十三 shí sān	
14	十四 shí sì	
15	十五 shí wǔ	
16	十六 shí liù	
17	十七 shí qī	
18	十八 shí bā	
19	十九 shí jiǔ	
20	二十 èr shí	

53

游乐场 yóu lè chǎng

旋转木马
xuán zhuǎn mù mǎ

棉花糖
mián huā táng

摩天轮
mo tiān lún

旋转滑梯
xuán zhuǎn huá tī

魔鬼列车
mó guǐ liè chē

爆米花
bào mǐ huā

垫子
diàn zi

碰碰车
pèng pèng chē

套圈游戏
tào quān yóu xì

过山车
guò shān chē

马戏团
mǎ xì tuán

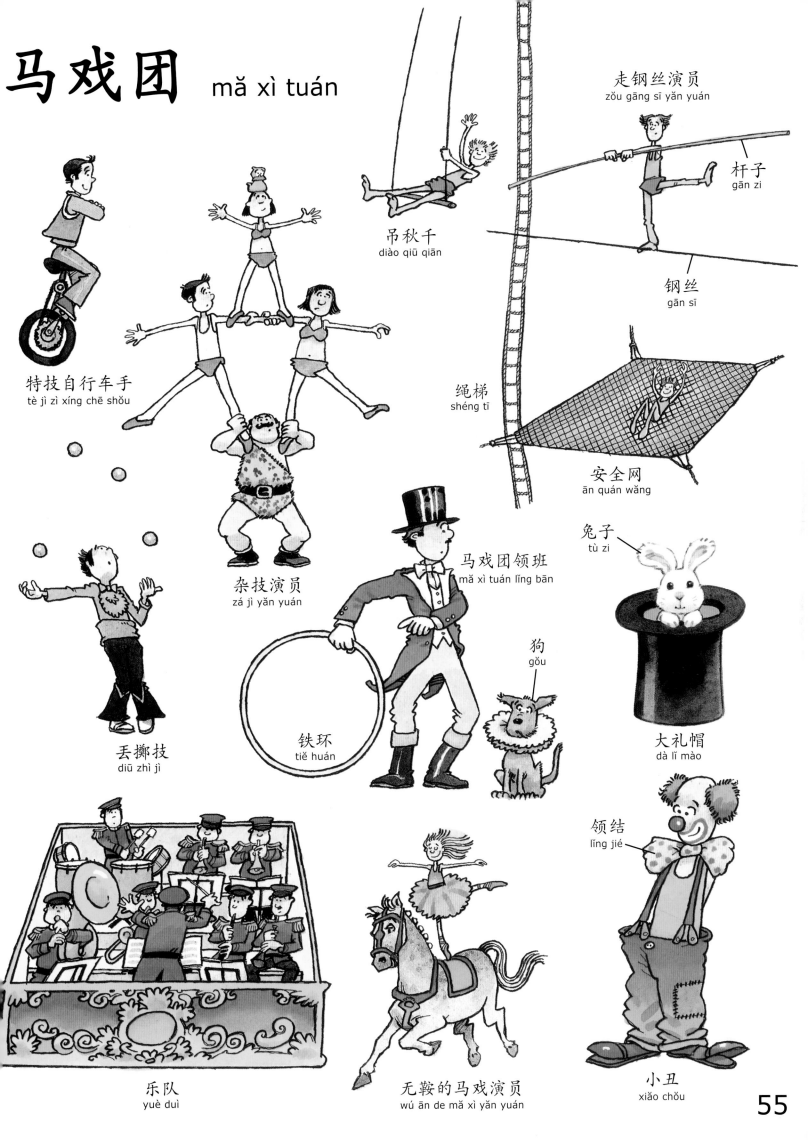

特技自行车手
tè jì zì xíng chē shǒu

吊秋千
diào qiū qiān

走钢丝演员
zǒu gāng sī yǎn yuán

杆子
gān zi

钢丝
gān sī

绳梯
shéng tī

安全网
ān quán wǎng

杂技演员
zá jì yǎn yuán

丢掷技
diū zhì jì

马戏团领班
mǎ xì tuán lǐng bān

铁环
tiě huán

狗
gǒu

兔子
tù zi

大礼帽
dà lǐ mào

领结
lǐng jié

乐队
yuè duì

无鞍的马戏演员
wú ān de mǎ xì yǎn yuán

小丑
xiǎo chǒu

55

Word list

Here are all the Chinese words in the book. Next to each word, you can see its *pinyin* pronunciation guide (see page 3), and then its meaning in English. The words are given in alphabetical order of the *pinyin*, which is the way to look up words in most Chinese-English dictionaries; page numbers are given after the *pinyin*, to help you check that you have the right word or version of a word.

A note about family words
Chinese is more specific than English when you are talking about people in your family. The words for "grandfather," "grandmother," "uncle" and "aunt," for instance, make it clear whether the relation is on your mother's or your father's side, so we have given both versions. The words for "brother" and "sister" make clear whether you are talking about an older or a younger one, and the word for "cousin" makes clear whether you mean older or younger, a boy or girl, on your mother's or your father's side. We have given the words for an older sister, a younger brother and a younger, boy cousin on either your mother or your father's side, as shown in the picture on page 41.

Saying Chinese words

The best way to learn how to say Chinese words is to listen to a Chinese speaker and repeat what you hear. You can listen to all the words in this book, read by a native Mandarin Chinese speaker, on the Usborne Quicklinks website. Just go to **www.usborne.com/quicklinks** and enter the keywords **1000 chinese.** These notes will help you to read the *pinyin*.

Tones
In Mandarin Chinese there are four tones, which means that the vowel sounds **a e i o u** can be said in different ways:

The first tone is high and level. In *pinyin* it is written ¯ as in **mā** (mother).

The second tone starts lower and then rises. It is written ´ as in **chá** (tea).

The third tone starts mid-range, falls and then rises. It is written ˇ as in **gǔ** (drum).

The fourth tone starts high and then falls. It is written ` as in **dà** (big).

Some vowel sounds, often in the second syllable of a word, are pronounced without a particular tone and so are written without a tone mark.

It is important to us the right tone as the same word can have quite different meanings when said with different tones – for instance, **mā** means "mother" but **mǎ** means "horse."

Letter sounds in *pinyin*
Read the words in *pinyin* as if you were reading English, but remember these points:

h   has a harsher sound than in English, like the Scottish **ch** in **loch**

q   sounds like the **ch** in **cheer**

x   sounds like the **sh** in **shy**

c   sounds like the **ts** in **cats**

z   sounds like the **ds** in **heads**

The next four letters are pronounced with your tongue rolled back:

ch sounds like the **ch** in **cheer**

sh sounds like the **sh** in **shy**

zh sounds like the **dge** in **fudge**

r   sounds like the **r** in **ring**

a   sounds like the **a** in **father**

an sounds like the **an** in **can't**

e   sounds like the **e** in **the** or **mother**

en sounds like the **en** in **shaken**

i   sounds like the **ee** in **seen**, or like the **i** in **shirt**, but **in** sounds like the **in** in **fin**

o   sounds like the **o** in **more**, and **ong** sounds like the **ung** in **sung**, but longer, more like **oong**

u   sounds like the **oo** in **too**

ü   for this sound, round your lips to say **oo**, then try saying **ee**.

阿姨	ā yí, 41	aunt (mother's side)	车间	chē jiān, 10	workshop
矮树丛	ǎi shù cóng, 16	bush	车轮	chē lún, 20	wheel
安全网	ān quán wǎng, 55	safety net	车厢	chē xiāng, 20	railway cars
鞍	ān, 25	saddle	晨衣	chén yī, 30	bathrobe
			衬衣	chèn yī, 39	shirt
八	bā, 53	eight	城堡	chéng bǎo, 14	castle
爸爸	bà ba, 41	father	橙色	chéng sè, 52	orange (color)
八孔长笛	bā kǒng cháng dí, 14	recorder	吃	chī, 42	to eat
靶子	bǎ zi, 51	target	翅膀	chì bǎng, 18	wing
白色	bái sè, 52	white	池塘	chí táng, 24	pond
百叶窗	bǎi yè chuāng, 29	blinds	尺子	chǐ zi, 28	ruler
搬	bān, 42	to carry	宠物	chǒng wù, 49	pets
斑马	bān mǎ, 19	zebra	虫子	chóng zi, 8	worm
伴娘	bàn niáng, 47	bridesmaid	绸带	chóu dài, 32	ribbon
板球	bǎn qiú, 50	cricket (sport)	抽屉	chōu tì, 7	drawer
扳手	bān shou, 21	wrench	抽屉柜	chōu tī guì, 5	chest of drawers
棒球	bàng qiú, 50	baseball	厨房	chú fáng, 6	kitchen
棒球帽	bàng qiú mào, 39	baseball cap	橱柜	chú guì, 7	closet
豹	bào, 19	leopard	畜栏	chù lán, 25	stable
刨花	bào huā, 10	shavings (wood)	厨师	chú shī, 40	chef
爆米花	bào mǐ huā, 54	popcorn	厨师	chú shī , 43	to cook
报纸	bào zhǐ, 5	newspaper	锄头	chú tou, 8	hoe
刨子	bào zi, 11	plane	出租车	chū zū chē, 13	taxi
背包	bèi bāo, 20	backpack	船	chuán, 27	ship
北极熊	běi jí xióng, 19	polar bear	床	chuáng, 4	bed
贝壳	bèi ké, 26	shell	床单	chuáng dān, 5	sheet
杯子	bēi zi, 7	cups	窗户	chuāng hu, 32	window
绷带	bēng dài, 30	bandage	创可贴	chuāng kě tiē, 31	band-aid
笔记本	bǐ jì běn, 29	notebook	窗帘	chuāng lián, 30	curtain
比萨饼	bǐ sà bǐng, 37	pizza	吹	chuī, 43	to blow
鼻子	bí zi, 38	nose	炊具	chuī jù, 7	stove
蝙蝠	biān fú, 18	bat (animal)	锤子	chuí zi, 11	hammer
编织	biān zhī, 42	to knit	春天	chūn tiān, 48	spring
表弟	biǎo dì, 41	cousin (mother's side)	刺猬	cì wèi, 22	porcupine
			瓷砖	cí zhuān, 7	tiles
宾客	bīn kè, 47	guests	存物柜	cún wù guì , 51	locker
饼干	bǐng gān, 33	cookie	村庄	cūn zhuāng, 23	village
冰淇淋	bīng qí lín, 16	ice cream	锉刀	cuò dāo, 11	file
冰山	bīng shān, 18	iceberg			
冰箱	bīng xiāng, 6	refrigerator	大	dà, 44	big
菠菜	bō cài, 35	spinach	大海	dà hǎi, 26	sea
簸箕	bò ji, 7	dustpan	打架	dǎ jià, 43	to fight
波浪	bō làng, 27	waves	大礼帽	dà lǐ mào, 55	top hat
玻璃杯	bō li bēi , 6	glasses (for drinking)	大门	dà mén, 16	gate
菠萝	bō luó, 35	pineapple	大篷车	dà péng chē, 23	camper
薄雾	bó wù , 48	mist	打破	dǎ pò, 42	to break
脖子	bó zi, 38	neck	大头钉	dà tóu dīng, 11	tacks
			大象	dà xiàng, 19	elephant
彩笔	cǎi bǐ, 28	felt-tip pens	大猩猩	dà xīng xing, 18	gorilla
彩虹	cǎi hóng, 48	rainbow	带扣	dài kòu, 39	buckle
菜花	cài huā, 34	cauliflower	袋鼠	dài shǔ, 18	kangaroo
餐刀	cān dāo, 7	knives	单板滑雪	dān bǎn huá xuě, 50	snowboarding
仓鼠	cāng shǔ, 49	hamster	蛋糕	dàn gāo, 32	cake
苍蝇	cāng yíng, 11	fly	岛	dǎo, 26	island
草	cǎo, 9	grass	稻草包	dào cǎo bāo, 25	straw bales
草莓	cǎo méi, 33	strawberry	稻草人	dào cǎo rén, 25	scarecrow
茶	chá, 36	tea	倒下	dǎo xià, 43	to fall
茶匙	chá chí, 6	teaspoons	灯	dēng, 5, 29	lamp
茶壶	chá hú, 36	teapot	等	děng, 43	to wait
茶巾	chá jīn, 7	dish towel	灯泡	dēng pào, 33	lightbulb
叉子	chā zi, 6	forks	灯塔	dēng tǎ, 26	lighthouse
长	cháng, 45	long	灯柱	dēng zhù, 13	lamp post
唱	chàng, 43	to sing	凳子	dèng zi, 6	stool
长方形	cháng fāng xíng, 52	rectangle	低	dī, 45	low
长颈鹿	cháng jǐng lù, 18	giraffe	地板	dì bǎn, 29	floor
长椅	cháng yǐ, 16	bench	底部	dǐ bù, 44	bottom (not top)

弟弟	dì di, 41	brother
地球仪	dì qiú yí, 29	globe
地毯	dì tǎn, 4, 5	carpet, rug
地图	dì tú, 29	map
第一	dì yī, 44	first
电池	diàn chí, 20	battery
电话	diàn huà, 5	telephone
电视	diàn shì, 5	television
电梯	diàn tī, 30	elevator
电影院	diàn yǐng yuàn, 13	movie theater
垫子	diàn zi, 4, 54	cushion, mat
钓杆	diào gān, 50	fishing rod
吊秋千	diào qiū qiān, 55	trapeze
雕像	diāo xiàng, 12	statue
吊椅	diào yǐ, 51	chairlift
钓鱼	diào yú, 50	fishing
碟子	dié zi, 7	saucers
顶部	dǐng bù, 44	top
钉子	dīng zi, 11	nails
丢掷技	diū zhì jì, 55	juggling
洞	dòng, 12	hole
冬天	dōng tiān, 48	winter
动物园	dòng wù yuán, 18	zoo
豆	dòu, 35	beans
读	dú, 43	to read
独木舟	dú mù zhōu, 27	kayak
肚子	dù zi, 38	tummy
短	duǎn, 45	short
短裤	duǎn kù, 39, 39	underwear
锻炼	duàn liàn, 50	exercise
短袜	duǎn wà, 39	socks
躲藏	duǒ cáng, 43	to hide
鹅	é, 24	geese
鹅卵石	é luǎn shí, 27	pebbles
鳄鱼	è yú, 18	crocodile
二	èr, 53	two
耳朵	ěr duo, 38	ears
二十	èr shí, 53	twenty
儿子	ér zi, 41	son
发动机盖	fā dòng jī gài, 21	hood (of a car)
法官	fǎ guān, 40	judge
帆	fān, 50	sail
帆板运动	fān bǎn yùn dòng, 50	windsurfing
帆船	fān chuán, 26	sailboat
反义词	fǎn yì cí, 44	opposites
防晒霜	fáng shài shuāng, 27	sunscreen
房子	fáng zi, 13	house
飞机	fēi jī, 21	plane
飞机场	fēi jī chǎng, 21	airport
飞机跑道	fēi jī pǎo dào, 21	runway
飞行员	fēi xíng yuán, 21	pilot
肥皂	féi zào, 4	soap
废纸篓	fèi zhǐ lǒu, 29	wastepaper basket
飞蛾	fēi'é, 23	moth
粉笔	fěn bǐ, 28	chalk
粉红色	fěn hóng sè, 52	pink
风	fēng, 48	wind
风车	fēng chē, 22	windmill
蜂蜜	fēng mì, 36	honey
缝纫	féng rèn, 43	to sew
蜂窝	fēng wō, 8	beehive
风筝	fēng zheng, 16	kite
付款处	fù kuǎn chù, 35	checkout

覆盆子	fù pén zǐ, 33	raspberry
斧头	fǔ tóu, 11	ax
服务员	fú wù yuán, 41	waiter, waitress
干	gān, 44	dry
干草	gān cǎo, 25	hay
干草仓	gān cǎo cāng, 24	loft
干草堆	gān cǎo duī, 24	haystack
干净	gān jìng, 44	clean
橄榄球	gǎn lǎn qiú, 50	rugby
钢丝	gān sī, 55	tightrope
杆子	gān zi, 55	pole
钢笔	gāng bǐ, 28	pen
钢琴	gāng qín, 15	piano
高	gāo, 45	high
胳膊肘	gē bo zhǒu, 38	elbow
割草机	gē cǎo jī, 9	lawn mower
哥哥	gē ge, 41	brother
歌手	gē shǒu, 40	singers
鸽子	gē zi, 8	pigeon
更衣室	gēng yī shì, 51	changing room
弓	gōng, 15	bow
工厂	gōng chǎng, 13	factory
公共汽车	gōng gòng qì chē, 12	bus
公共汽车司机	gōng gòng qì chē sī jī, 41	bus driver
公鸡	gōng jī, 24	rooster
工具箱	gōng jù xiāng, 10	tool box
公牛	gōng niú, 24	bull
工棚	gōng péng, 8	shed
公寓	gōng yù, 13	apartments
公园	gōng yuán, 16	park
工作台	gōng zuò tái, 11	workbench
狗	gǒu, 16, 49, 55	dog
篝火	gōu huǒ, 9	bonfire
狗皮带	gǒu pí dài	dog leash
狗窝	gǒu wō, 49	kennel
购物车	gòu wù chē, 35	cart
鼓	gǔ, 14	drums
谷仓	gǔ cāng, 24	barn
姑姑	gū gu, 41	aunt (father's side)
骨头	gǔ tóu, 9	bone
瓜	guā, 34	melon
挂衣钩	guà yī gōu, 5	coat rack
拐杖	guǎi zhàng, 30	crutches
罐	guàn, 35	cans
关	guān, 44	closed
罐子	guàn zi, 11, 35	jars
管子	guǎn zi, 12	pipes
棍子	gùn zi, 9	sticks
锅	guō, 6	saucepans
果酱	guǒ jiàng, 36	jam
过山车	guò shān chē, 54	roller coaster
果园	guǒ yuán, 25	orchard
果汁	guǒ zhī, 33	fruit juice
海豹	hǎi bào, 19	seal
海边	hǎi biān, 26	seaside
海草	hǎi cǎo, 27	seaweed
海狸	hǎi lí, 19	beaver
海绵	hǎi mián, 4	sponge
海鸥	hǎi ōu, 26	seagull
海滩	hǎi tān, 27	beach
海豚	hǎi tún, 18	dolphin
海星	hǎi xīng, 26	starfish

孩子	hái zi , 17	children
汉堡包	hàn bǎo bāo, 37	hamburger
旱冰鞋	hàn bīng xié, 16	roller blades
汗衫	hàn shān, 39	undershirt
航行	háng xíng, 50	sailing
好	hǎo , 44	good
河	hé, 22	river
喝	hē, 42	to drink
河马	hé mǎ, 18	hippopotamus
盒子	hé zi, 29	box
黑暗	hēi àn , 45	dark
黑色	hēi sè, 52	black
很少	hěn shǎo, 44	few
红绿灯	hóng lù dēng, 13	traffic lights
红色	hóng sè, 52	red
后背	hòu bèi, 38	back (of body)
后面	hòu mian, 45	back (not front)
厚木板	hòu mù bǎn, 10	board
候诊室	hòu zhěn shì, 31	waiting room
猴子	hóu zi, 18	monkey
湖	hú, 16	lake
蝴蝶	hú dié, 22	butterfly
胡椒粉	hú jiāo fěn, 36	pepper
狐狸	hú li, 22	fox
胡萝卜	hú luó bo, 34	carrot
虎皮鹦鹉	hǔ pí yīng wǔ, 49	parakeet
护士	hù shi, 30	nurse
画	huà, 42	to paint
花	huā, 8	flowers
滑板	huá bǎn, 17	skateboard
滑冰	huá bīng, 51	ice-skating
划船	huá chuán, 50	rowboat
画架	huà jià, 29	easel
划桨	huá jiǎng, 27	paddle
花圃	huā pǔ, 17	flower bed
滑水者	huá shuǐ zhě, 26	water-skier
滑梯	huá tī, 16	slide
划艇	huá tǐng, 27	rowing boat
滑翔	huá xiáng , 51	hang-gliding
滑雪	huá xuě, 51	skiing
滑雪板	huá xuě bǎn, 51	ski
滑雪杖	huá xuě zhàng, 51	ski pole
花园	huā yuán, 8	yard
化妆舞会服装	huà zhuāng wǔ huì fú zhuāng, 33	costumes
坏	huài, 44	bad
獾	huān, 22	badger
缓冲器	huǎn chōng qì, 20	buffers (train)
黄蜂	huáng fēng, 8	wasp
黄瓜	huáng guā , 34	cucumber
黄色	huáng sè, 52	yellow
黄油	huáng yóu, 33	butter
灰色	huī sè, 52	gray
徽章	huī zhāng, 29	badge
活	huó, 45	alive
火柴	huǒ chái, 7	matches
货车	huò chē, 13, 20	van, freight train
火车	huǒ chē, 23	train
火车司机	huǒ chē sī jī, 20	engineer
火车头	huǒ chē tóu, 20	engine (car, train)
火车玩具组合	huǒ chē wán jù zǔ hé, 14	train set
火车站	huǒ chē zhàn, 20	railway station
火鸡	huǒ jī, 25	turkeys
火箭	huǒ jiàn, 15	rocket
火腿	huǒ tuǐ, 37	ham
鸡蛋	jī dàn, 35	eggs
季节	jì jié, 48	seasons
机器人	jī qì rén, 14	robot
鸡肉	jī ròu, 37	chicken
鸡舍	jī shè, 24	hen house
计算机	jì suàn jī, 31	computer
吉他	jí tā, 14	guitar
机械师	jī xiè shī, 40	mechanics
家	jiā, 4	home
夹克	jiá kè, 39	jacket
假期	jià qī, 47	holiday
家庭	jiā tíng, 41	families
加油泵	jiā yóu bèng, 21	gas pump
肩膀	jiān bǎng, 38	shoulders
煎饼	jiān bing, 36	pancakes
煎蛋	jiān dàn, 37	omelette
剪刀	jiǎn dāo, 28	scissors
煎锅	jiān guō , 7	frying pan
煎鸡蛋	jiān jī dàn, 36	fried egg
检票员	jiǎn piào yuán, 20	conductor
箭术	jiàn shù, 51	archery
箭	jiàn, 14	arrows
剪	jiǎn, 42	to cut
降落伞	jiàng luò sǎn, 15	parachute
桨	jiǎng, 26	oar
角	jiǎo, 19	horns
脚	jiǎo, 38	foot
脚蹼	jiǎo pǔ, 27	flippers
胶水	jiāo shuǐ, 28	glue
脚趾	jiǎo zhǐ, 38	toes
街道	jiē dào, 12	street
结婚日	jié hūn rì, 47	wedding day
姐姐	jiě jie, 41	sister
戒指	jiè zhi, 14	ring
近	jìn, 44	near
紧身裤	jǐn shēn kù, 39	tights
金丝雀	jīn sī què, 49	canary
金鱼	jīn yú, 49	goldfish
警察	jǐng chá, 13, 40	policeman
警车	jǐng chē, 12	police car
鲸鱼	jīng yú, 19	whale
镜子	jìng zi, 5	mirror
旧	jiù, 45	old
九	jiǔ, 53	nine
救护车	jiù hù chē, 12	ambulance
舅舅	jiù jiu, 41	uncle (mother's side)
救险工程车	jiù xiǎn gōng chéng chē, 21	tow truck
锯	jù, 10	saw
聚会	jù huì, 32	party
锯屑	jù xiè, 10	sawdust
桔子	jú zi, 31, 33	orange (fruit), tangerine
卷尺	juǎn chǐ, 11	tape measure
卷心菜	juǎn xīn cài, 34	cabbage
卡车	kǎ chē, 13	truck
卡车司机	kǎ chē sī jī, 41	truck driver
咖啡	kā fēi , 36	coffee
咖啡馆	kā fēi guǎn, 12	café
卡片	kǎ piàn, 31	cards
开	kāi, 44	open
开关	kāi guān, 6	switch
砍	kǎn, 42	to chop
看	kàn, 43	to watch
蝌蚪	kē dǒu, 16	tadpoles

客厅	kè tīng, 4	living room	轮椅	lún yǐ, 30	wheelchair
空的	kōng de, 45	empty	螺母	luó mǔ, 11	nuts
空手道	kōng shǒu dào, 50	karate	螺丝刀	luó sī dāo, 10	screwdriver
空中乘务员	kōng zhōng chéng wù yuán, 21	cabin crew	螺丝钉	luó sī dīng, 11	screws, bolts
			骆驼	luò tuo, 19	camel
口袋	kǒu dài, 39	pockets			
口琴	kǒu qín, 14	harmonica	马	mǎ, 25, 51	horse
口哨	kǒu shào, 14	whistle	抹布	mā bù, 7	dust cloth
扣眼	kòu yǎn, 39	button holes	妈妈	mā ma, 41	mother
哭	kū, 42	to cry	马术	mǎ shù, 51	riding
裤子	kù zi, 39	pants	马桶	mǎ tǒng, 4	toilet
快	kuài, 45	fast	马戏团	mǎ xì tuán, 55	circus
筷子	kuài zi, 37	chopsticks	马戏团领班	mǎ xì tuán lǐng bān, 55	ring master
困难	kùn nan, 45	difficult			
			买	mǎi, 43	to buy
拉	lā, 43	to pull	麦片	mài piàn , 36	cereal
喇叭	lǎ ba, 14	trumpet	慢	màn, 45	slow
蜡笔	là bǐ, 29	crayons	满的	mǎn de, 45	full
垃圾	lā jī, 6	trash	慢跑	màn pǎo, 51	jogging
垃圾箱	lā jī xiāng, 8	trash can	猫	māo, 49	cat
拉链	lā liàn, 39	zipper	毛巾	máo jīn, 4	towel
蜡烛	là zhú, 32, 47	candle	毛毛虫	máo máo chóng, 9	caterpillar
癞蛤蟆	lài há ma, 23	toad	猫头鹰	māo tóu yīng, 23	owl
栏杆	lán gān, 17	fence	帽子	mào zi, 39	hat
篮球	lán qiú, 50	basketball	眉毛	méi mao, 38	eyebrow
蓝色	lán sè, 52	blue	妹妹	mèi mei, 41	sister
篮子	lán zi, 31, 35, 49	basket	美式橄榄球	měi shì gǎn lǎn qiú, 50	soccer
狼	láng, 18	wolf			
老虎	lǎo hǔ, 19	tiger	门	mén, 6	door
姥姥	lǎo lao, 41	grandmother (mother's side)	门把	mén bà, 29	door handle
			门厅	mén tīng, 5	hall
老师	lǎo shī, 29	teacher	米饭	mǐ fàn, 37	rice
老鼠	lǎo shǔ, 49	mouse	蜜蜂	mì fēng, 9	bee
姥爷	lǎo ye, 41	grandfather (mother's side)	面包	miàn bāo, 33	bread
			面包卷	miàn bāo juǎn, 36	bread rolls
冷	lěng, 44	cold	面包师	miàn bāo shī, 41	baker
犁	lí, 25	plow	棉被	mián bèi, 5	comforter
梨	lí, 31	pear	面部油彩	miàn bù yóu cǎi, 15	face paints
理发师	lǐ fà shī, 41	barber	面粉	miàn fěn, 35	flour
立方体	lì fāng tǐ, 52	cube	棉花糖	mián huā táng, 54	cotton candy
礼物	lǐ wù, 32, 47	present, presents	面具	miàn jù, 15	masks
李子	lǐ zi, 35	plum	面盆	miàn pén, 4	sink
脸	liǎn, 38	face	棉球	mián qiú, 30	cotton balls
连环画	lián huán huà, 31	comic	明亮	míng liàng , 45	light
脸颊	liǎn jiá , 38	cheek	蘑菇	mó gu, 34	mushroom
连衣裙	lián yī qún, 39	dress	魔鬼列车	mó guǐ liè chē, 54	amusement ride
凉鞋	liáng xié, 39	sandals	摩天轮	mo tiān lún, 54	Ferris wheel
淋浴	lín yù , 4	shower	摩托车	mó tuō chē, 13	motorcycle
领带	lǐng dài , 39	tie	摩托艇	mó tuō tǐng, 26	motor-boat
领结	lǐng jié, 55	bow tie	母鸡	mǔ jī, 25	hens
菱形	líng xíng , 52	diamond	木匠	mù jiàng , 40	carpenter
溜冰鞋	liū bīng xié, 51	ice skates	木料	mù liào, 23	logs
六	liù, 53	six	母牛	mǔ niú , 25	cow
笼子	lóng zi, 49	cage	木偶	mù ǒu, 15	puppets
楼上	lóu shàng, 45	upstairs	木头	mù tou, 11	wood
楼梯	lóu tī, 5	stairs	牧羊犬	mù yáng quǎn, 24	sheepdog
楼下	lóu xià, 45	downstairs	拇指	mǔ zhǐ, 38	thumb
鹿	lù, 19	deer			
路	lù, 22	road	拿	ná, 43	to take
路标	lù biāo, 22	signpost	奶酪	nǎi lào, 33	cheese
露水	lù shui , 48	dew	奶奶	nǎi nai, 41	grandmother (father's side)
驴	lǘ, 25	donkey			
旅馆	lǚ guǎn, 12	hotel	奶油	nǎi yóu , 36	cream
绿色	lǜ sè, 52	green	南瓜	nán guā, 35	pumpkin
旅行	lǚ xíng, 20	travel	男孩	nán hái, 28	boy
轮胎	lún tāi, 21	tire	男人	nán rén, 12	man

男演员	nán yǎn yuán, 40	actor
泥	ní, 24	mud
泥铲	ní chǎn, 9	trowel
泥土	ní tǔ, 17	dirt
黏土	nián tǔ, 28	clay
鸟	niǎo, 17	birds
尿布	niào bù, 31	diaper
鸟巢	niǎo cháo, 9	nest
鸟嘴	niǎo zuǐ, 49	beak
柠檬	níng méng, 34	lemon
钮扣	niǔ kòu, 39	buttons
牛奶	niú nǎi, 36, 49	milk
牛棚	niú péng, 25	cowshed
牛仔裤	niú zǎi kù, 39	jeans
农场	nóng chǎng, 24	farm
农民	nóng mín, 25	farmer
农舍	nóng shè, 25	farmhouse
女儿	nǚ ér, 41	daughter
女孩	nǚ hái, 29	girl
女警察	nǚ jǐng chá, 40	policewoman
女人	nǚ rén, 13	woman
女睡衣	nǚ shuì yī, 31	nightgown
女演员	nǚ yǎn yuán, 40	actress
爬	pá, 42, 43	to crawl, to climb
耙	pá, 9	pitchfork
耙子	pá zi, 9	rake
攀登	pān dēng, 51	climbing
盘子	pán zi, 7	plates
胖	pàng, 44	fat
螃蟹	páng xiè, 26	crab
跑	pǎo, 43	to run
喷壶	pēn hú, 9	watering can
喷水器	pēn shuǐ qì, 8	sprinkler
碰碰车	pèng pèng chē, 54	bumper cars
瓢虫	piáo chóng, 8	ladybug
拼图玩具	pīn tú wán jù, 30	jigsaw puzzle
苹果	píng guǒ, 30	apple
乒乓球	pīng pāng qiú, 51	table tennis
瓶子	píng zi, 35	bottles
瀑布	pù bù, 23	waterfall
葡萄	pú tao, 31	grapes
旗	qí, 26	flag
七	qī, 53	seven
汽车	qì chē, 13	car
企鹅	qǐ'é, 18	penguin
气球	qì qiú, 32	balloon
汽油	qì yóu, 21	gas
起重机	qǐ zhòng jī , 15	crane
妻子	qī zi, 41	wife
骑自行车	qí zì xìng chē, 51	cycling
钱	qián, 35	money
钱包	qián bāo, 35	coin purse
铅笔	qiān bǐ, 28	pencil
前车灯	qián chē dēng, 20	headlights
前面	qián mian, 45	front
潜水艇	qián shuǐ tǐng, 14	submarine
潜水员	qián shuǐ yuán, 41	frogman
钱箱	qián xiāng, 15	bank
墙	qiáng, 29	wall
桥	qiáo, 23	bridge
巧克力	qiǎo kè lì, 32	chocolate
跷跷板	qiāo qiāo bǎn, 17	seesaw
芹菜	qín cài, 34	celery
青蒜	qīng suàn, 34	leek

青蛙	qīng wā, 16	frog
球	qiú, 17, 50	ball
球棒	qiú bàng, 50	bat (for sport)
球拍	qiú pāi, 50	racket
秋千	qiū qiān, 16	swings
秋天	qiū tiān, 48	fall
球鞋	qiú xié, 39	tennis shoes
裙子	qún zi, 39	skirt
热	rè, 44	hot
热气球	rè qì qiú, 22	hot-air balloon
热巧克力	rè qiǎo kè lì, 36	hot chocolate
人们	rén men, 40	people
人行道	rén xíng dào, 12	sidewalk
人行道	rén xíng dào, 13	crosswalk
扔	rēng, 42	to throw
日历	rì lì, 10, 46	calendar
日子	rì zi, 46	days
容易	róng yì, 45	easy
肉	ròu, 35	meat
柔道	róu dào, 51	judo
软	ruǎn, 45	soft
萨拉米香肠	sà lā mǐ xiāng cháng, 33	salami
赛车	sài chē, 15	race car
赛跑	sài pǎo, 50	race
三	sān, 53	three
三角形	sān jiǎo xíng, 52	triangle
三轮车	sān lún chē, 17	tricycle
散热器	sàn rè qì, 5	radiator
三文治	sān wén zhì, 33	sandwich
扫地	sǎo dì, 43	to sweep
扫帚	sào zhou, 7	broom
森林	sēn lín, 22	forest
沙发	shā fā, 4	sofa
沙坑	shā kēng, 16	sandpit
色拉	shā là, 37	salad
沙司	shā sī, 37	ketchup
沙滩城堡	shā tān chéng bǎo, 26	sandcastle
鲨鱼	shā yú, 19	shark
砂纸	shā zhǐ, 10	sandpaper
色子	shǎi zi, 14	dice
山	shān, 22	mountain
闪电	shǎn diàn, 48	lightning
山羊	shān yáng, 19	goat
商店	shāng diàn, 12, 34	store
上面	shàng miàn, 44	over
勺子	sháo zi, 7	spoons
蛇	shé, 19	snake
舌头	shé tou, 38	tongue
摄影师	shè yǐng shī, 47	photographer
生菜	shēng cài, 34	lettuce
圣诞节	shèng dàn jié , 47	Christmas day
圣诞老人	shèng dàn lǎo rén, 47	Santa Claus
圣诞树	shèng dàn shù , 47	Christmas tree
生日	shēng rì, 47	birthday
生日蛋糕	shēng rì dàn gāo, 47	birthday cake
生日贺卡	shēng rì hè kǎ, 47	birthday card
绳梯	shéng tī, 55	rope ladder
绳子	shéng zi, 17, 27	string, rope
湿	shī, 44	wet
十	shí, 53	ten
十八	shí bā, 53	eighteen
士兵	shì bīng, 15	soldiers

市场	shì chǎng, 13	market
十二	shí èr, 53	twelve
石膏	shí gāo, 30	cast
十九	shí jiǔ, 53	nineteen
十六	shí liù, 53	sixteen
十七	shí qī, 53	seventeen
十三	shí sān, 53	thirteen
十四	shí sì , 53	fourteen
石头	shí tou, 22	stones
食物	shí wù, 36, 49	food
十五	shí wǔ, 53	fifteen
十一	shí yī, 53	eleven
时钟	shí zhōng, 6	clock
狮子	shī zi, 18	lion
瘦	shòu, 44	thin
手	shǒu, 38	hand
手臂	shǒu bì, 38	arm
手表	shǒu biǎo, 30	watch
手绢	shǒu juàn, 39	handkerchief
售票机	shòu piào jī, 20	ticket machine
手套	shǒu tào, 39	gloves
手提包	shǒu tí bāo, 35	purse
手提袋	shǒu tí dài, 34	grocery sack
手提箱	shǒu tí xiāng, 20	suitcase
手推车	shǒu tuī chē, 8, 24	wheelbarrow, cart
兽医	shòu yī, 49	vet
收音机	shōu yīn jī, 4	radio
手杖	shǒu zhàng, 31	walking stick
手指	shǒu zhǐ, 38	fingers
手纸	shǒu zhǐ, 4	toilet paper
树	shù, 9, 17	tree, trees
书	shū, 28	books
蔬菜	shū cài, 9	vegetables
熟鸡蛋	shú jī dàn, 36	boiled egg
树篱	shù lí, 9	hedge
薯片	shǔ piàn, 33	chips
叔叔	shū shu, 41	uncle (father's side)
薯条	shǔ tiáo, 37	French fries
树叶	shù yè, 9	leaves
书桌	shū zhuō, 28	desk
梳子	shū zi, 5	comb
数字	shù zì, 53	numbers
刷子	shuā zi, 5, 7, 29	brush
霜	shuāng, 48	frost
水	shuǐ, 4	water
水池	shuǐ chí, 7	sink
水管	shuǐ guǎn, 9	garden hose
水果	shuǐ guǒ, 5	fruit
水壶	shuǐ hú, 7	kettle
睡觉	shuì jiào, 43	to sleep
水坑	shuǐ kēng, 17	puddle
水龙头	shuǐ lóng tóu, 4	faucet
水手	shuǐ shǒu, 26	sailor
睡衣	shuì yī, 31	pajamas
水闸	shuǐ zhá, 22	lock
死	sǐ, 45	dead
四	sì, 53	four
松鼠	sōng shǔ, 22	squirrel
酸奶	suān nǎi, 35	yogurt
算术题	suàn shù tí, 28	math problems
隧道	suì dào, 23	tunnel
台钳	tái qián, 10	vise
台秤	tái chèng, 35	scales
台阶	tái jiē, 13	steps
太空	tài kōng, 46	space
太阳	tài yáng, 46, 48	sun
太阳帽	tài yáng mào, 27	sunhat
谈话	tán huà, 42	to talk
弹球	tán qiú, 15	marbles
糖	táng, 36	sugar
汤	tāng, 37	soup
堂弟	táng dì, 41	cousin (father's side)
糖果	táng guǒ, 32	candy
套圈游戏	tào quān yóu xì, 54	ring toss
套头衫	tào tóu shān, 39	sweater
桃子	táo zi, 34	peach
特别的日子	tè bié de rì zi, 47	special days
特技自行车手	tè jì zì xíng chē shǒu, 55	unicyclist
体操	tǐ cāo, 50	gym
鹈鹕	tí hú, 18	pelican
T恤	tī xù, 39	T-shirt
梯子	tī zi, 10	ladder
甜点	tián diǎn, 37	dessert
天花板	tiān huā bǎn, 29	ceiling
天空	tiān kōng, 48	sky
天气	tiān qì, 48	weather
田野	tián yě, 25	field
天鹅	tiān'é, 17	swans
跳	tiào, 42, 43	to jump, to skip
跳绳	tiào shéng , 17	jump rope
跳水	tiào shuǐ, 50	diving
跳舞	tiào wǔ, 42	to dance
跳舞	tiào wǔ, 50	dance
挑选	tiāo xuǎn, 43	to pick
铁轨	tiě guǐ, 20	train track
铁环	tiě huán, 55	hoop
铁锹	tiě qiāo, 8, 26	shovel
听	tīng, 42	to listen
桶	tǒng, 11, 26	barrel, bucket
头	tóu, 38	head
头发	tóu fa, 38	hair
头盔	tóu kuī, 51	helmet
土豆	tǔ dòu, 35	potatoes
土豆泥	tǔ dòu ní, 37	mashed potatoes
屠夫	tú fū, 40	butcher
图画	tú huà, 28	drawing
图片	tú piàn, 5	pictures
吐司	tǔ sī, 36	toast
兔子	tù zi, 49, 55	rabbit
腿	tuǐ, 38	leg
推	tuī, 43	to push
臀部	tún bù, 38	bottom (of body)
豚鼠	tún shǔ, 49	guinea pig
拖把	tuō bǎ, 7	mop
拖车	tuō chē, 13	trailer
拖拉机	tuō lā jī, 24	tractor
鸵鸟	tuó niǎo, 18	ostrich
托盘	tuō pán, 30	tray
拖鞋	tuō xié, 31	slippers
椭圆形	tuǒ yuán xíng, 52	oval
挖	wā, 42	to dig
挖掘机	wā jué jī, 12	bulldozer
娃娃家	wā wa jiā, 14	dollhouse
外套	wài tào, 39	coat
玩	wán, 43	to play
碗	wǎn, 7	bowls
晚餐	wǎn cān, 37	dinner, supper
豌豆	wān dòu, 34	peas
玩具	wán jù, 31, 32	toys

62

玩具店	wán jù diàn, 14	toy store
晚上	wǎn shàng, 46	evening
网球	wǎng qiú, 50	tennis
望远镜	wàng yuǎn jìng, 46	telescope
网	wǎng, 27	net
尾巴	wěi ba, 18	tail
围巾	wéi jīn, 39	scarf
围裙	wéi qún, 6	apron
微笑	wēi xiào, 42	to smile
温度计	wēn dù jì, 30	thermometer
温室	wēn shì, 9	greenhouse
我	wǒ, 38	me
我的衣服	wǒ de yī fu, 39	my clothes
蜗牛	wō niú, 8	snail
卧室	wò shì, 5	bedroom
雾	wù, 48	fog
五	wǔ, 53	five
无鞍的马戏演员	wú ān de mǎ xì yǎn yuán, 55	bareback rider
午餐	wǔ cān, 36	lunch
舞蹈演员	wǔ dǎo yǎn yuán, 40	dancers
屋顶	wū dǐng, 12	roof
乌龟	wū guī, 19	tortoise
洗	xǐ, 42	to wash
洗车场	xǐ chē chǎng, 21	car wash
吸尘器	xī chén qì, 6	vacuum cleaner
膝盖	xī gài, 38	knee
吸管	xī guǎn, 32	straw
西红柿	xī hóng shì, 34	tomato
犀牛	xī niú, 19	rhinoceros
蜥蜴	xī yì, 22	lizard
洗衣粉	xǐ yī fěn, 6	laundry detergent
洗衣机	xǐ yī jī, 7	washing machine
下巴	xià ba, 38	chin
下面	xià mian, 44	under
夏天	xià tiān, 48	summer
下雪	xià xuě, 48	snow
下雨	xià yǔ, 48	rain
想	xiǎng, 42	to think
象鼻	xiàng bí, 19	trunk
香肠	xiāng cháng, 33	sausage
乡村	xiāng cūn, 22	country
香蕉	xiāng jiāo, 31	banana
项链	xiàng liàn, 14	necklace
橡皮	xiàng pí, 28	eraser
相扑	xiāng pū, 51	sumo wrestling
笑	xiào, 42	to laugh
小	xiǎo, 44	small
小丑	xiǎo chǒu, 55	clown
小船	xiǎo chuán, 15	boat
消防车	xiāo fáng chē, 13	fire engine
消防队员	xiāo fáng duì yuán, 40	fireman
小狗	xiǎo gǒu, 49	puppy
小狐狸	xiǎo hú li, 23	fox cubs
小鸡	xiǎo jī, 24	chicks
小路	xiǎo lù, 9, 16	path
小猫	xiǎo māo, 49	kitten
小牛	xiǎo niú, 25	calf
小山	xiǎo shān, 23	hill
小溪	xiǎo xī, 22	stream
小型马	xiǎo xíng mǎ, 51	pony
小鸭子	xiǎo yā zi, 17	ducklings
小猪	xiǎo zhū, 25	piglets
鞋	xié, 39	shoes
鞋带	xié dài, 39	shoelace
写字	xiě zì, 42	to write
写字板	xiě zì bǎn, 28	board
新	xīn, 45	new
信	xìn, 5	letters
信号	xìn hào, 20	signals
新郎	xīn láng, 47	bridegroom
新娘	xīn niáng, 47	bride
杏	xìng, 34	apricot
行李箱	xíng lǐ xiāng, 21	trunk (of a car)
星期二	xīng qī èr, 46	Tuesday
星期六	xīng qī liù, 46	Saturday
星期日	xīng qī rì, 46	Sunday
星期三	xīng qī sān, 46	Wednesday
星期四	xīng qī sì, 46	Thursday
星期五	xīng qī wǔ, 46	Friday
星期一	xīng qī yī, 46	Monday
行星	xíng xīng, 46	planet
星星	xīng xīng, 46, 52	star
形状	xíng zhuàng, 52	shapes
熊	xióng, 18	bear
胸部	xiōng bù, 38	chest (body)
熊猫	xióng māo, 18	panda
修车场	xiū chē chǎng, 20	garage
许多	xǔ duō, 44	many
悬崖	xuán yá, 27	cliff
旋转滑梯	xuán zhuǎn huá tī, 54	slide
旋转木马	xuán zhuǎn mù mǎ, 54	merry-go-round
雪橇	xuě qiāo, 47	sleigh
学校	xué xiào, 12, 28	school
靴子	xuē zi, 39	boots
驯鹿	xùn lù, 47	reindeer
牙齿	yá chǐ, 38	teeth
牙膏	yá gāo, 4	toothpaste
牙科医生	yá kē yī shēng, 41	dentist
压路机	yā lù jī, 13, 15	steamroller
牙刷	yá shuā, 4	toothbrush
鸭子	yā zi, 17	ducks
盐	yán, 36	salt
烟	yān, 9	smoke
烟囱	yān cōng, 12	chimney
烟花	yān huā, 32	fireworks
眼镜	yǎn jìng, 32	glasses (to wear)
眼睛	yǎn jing, 38	eye
颜料	yán liào, 15, 28	paints
颜色	yán sè, 52	colors
岩石	yán shí, 23	rocks
鼹鼠	yàn shǔ, 23	mole
羊	yáng, 25	sheep
洋葱	yáng cōng, 34	onion
羊羔	yáng gāo, 24	lambs
羊毛开衫	yáng máo kāi shān, 39	cardigan
洋娃娃	yáng wā wa, 14	dolls
药	yào, 30	medicine
腰带	yāo dài ,39	belt
钥匙	yào shi, 6	key
药丸	yào wán, 30	pills
摇摇木马	yáo yáo mù mǎ, 15	rocking horse
野餐	yě cān, 16	picnic
野牛	yě niú, 19	bison
夜晚	yè wǎn, 46	night
爷爷	yé ye, 41	grandfather (father's side)